KU-557-929

CLIFFORD™

Tytuł oryginalny serii: *Clifford. The Big Red Dog*
Tytuł oryginału: *Clifford's Valentines*

Korekta: Bożena Hulewicz
Wydawnictwo Egmont Polska Sp. z o.o.
ul. Dzielna 60, 01-029 Warszawa
tel. 0 22 838 41 00
www.egmont.pl/ksiazki

ISBN 978-83-237-3369-0
Druk: Perfekt

Norman Bridwell

WALENTYNKI CLIFFORDA

Tłumaczenie: Katarzyna Precigs

EGMONT

Dziś są walentynki!

Kocham
Cię!

Clifford dostał kartkę.
Była to kartka od chłopca.

Clifford dostał kolejną kartkę.
Była to kartka od dziewczynki.

Później Clifford dostał
kartkę od jakiejś pani.

I jeszcze później kartkę
od jakiegoś pana.

Kartki przychodziły bez przerwy.

CLIFFORD

CLIFFORD

Teraz Clifford miał już całą górę kartek.
Wszyscy tak bardzo kochają Clifforda!

Zaczął padać śnieg.

CLIFFORD

Śnieg padał i padał.
Clifford wpadł na dobry pomysł.

Pobiegł do parku.

Spotkał tam dziewczynkę,
chłopca, panią i pana.

Byli tam też inni ludzie. Dużo ludzi.

Clifford narysował na śniegu serce.

Kocham was wszystkich!
Radosnych walentynek!